PHILIPPE LEGENDRE

J'apprends à dessiner

les camions

EDITIONS
FLEURUS

Éditions Fleurus, 15-27, rue Moussorgski, 75018 Paris

À l'attention des parents et des enseignants

Tous les enfants savent dessiner un rond, un carré, un triangle…
Alors, ils peuvent aussi dessiner un semi-remorque,
un camion de pompiers ou une dépanneuse.
Notre méthode est facile et amusante. Elle apporte à l'enfant une technique
et un vocabulaire des formes dont se sert tout dessinateur.

La construction du dessin se fait par l'association de formes géométriques
créant un ensemble de volumes/surfaces. Il suffit ensuite, par une ligne droite,
courbe ou brisée, de donner son caractère définitif à l'esquisse.

En quelques coups de crayon un motif apparaît,
un peu de couleur et voici réalisée une belle illustration.

Cette méthode propose un apprentissage de la technique
et une première approche de la composition, des proportions, du volume,
de la ligne. Sa simplicité en fait une méthode où le plaisir
de dessiner reste au premier plan.

PHILIPPE LEGENDRE

Peintre-graveur et illustrateur, Philippe Legendre anime
aussi un atelier de peinture pour les enfants de 6 à 14 ans.
Intervenant souvent en milieu scolaire, il a développé
cette méthode pour que tous les enfants puissent
accéder à l'art du dessin.

Quelques conseils

1. Chaque dessin est fait à partir d'un petit nombre de formes géométriques qui sont indiquées en haut de la page. C'est ce qu'on appelle le vocabulaire de formes. Il peut te servir à t'exercer avant de commencer le dessin.

2. Fais l'esquisse du dessin au crayon et à main levée. Attention, pas de règle ni de compas !

3. Les pointillés indiquent les traits de construction qui doivent être gommés.

4. Une fois ton dessin terminé, colorie-le. Si tu veux, repasse en noir le trait de crayon. Et maintenant, à toi de jouer !

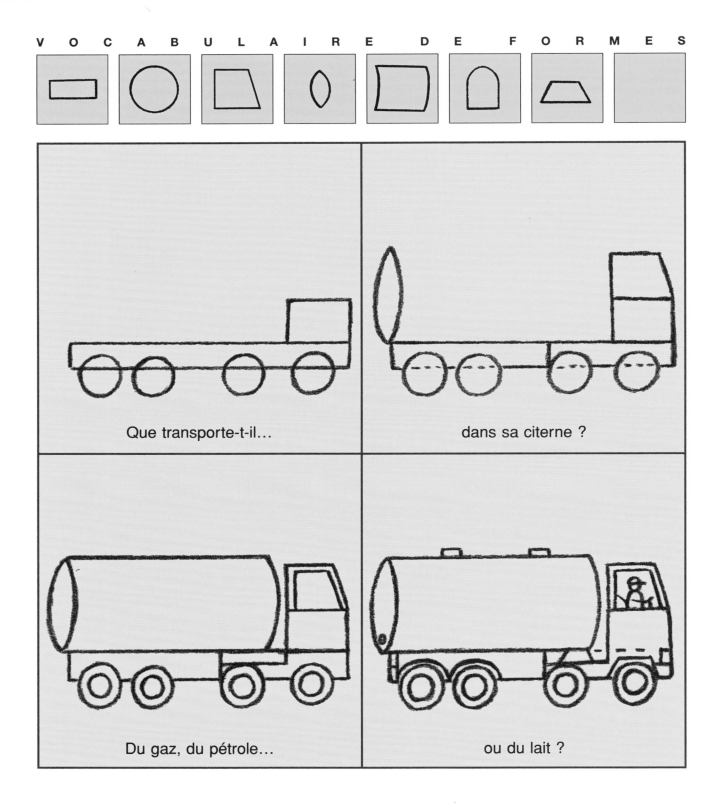

Que transporte-t-il…

dans sa citerne ?

Du gaz, du pétrole…

ou du lait ?

Le camion-citerne

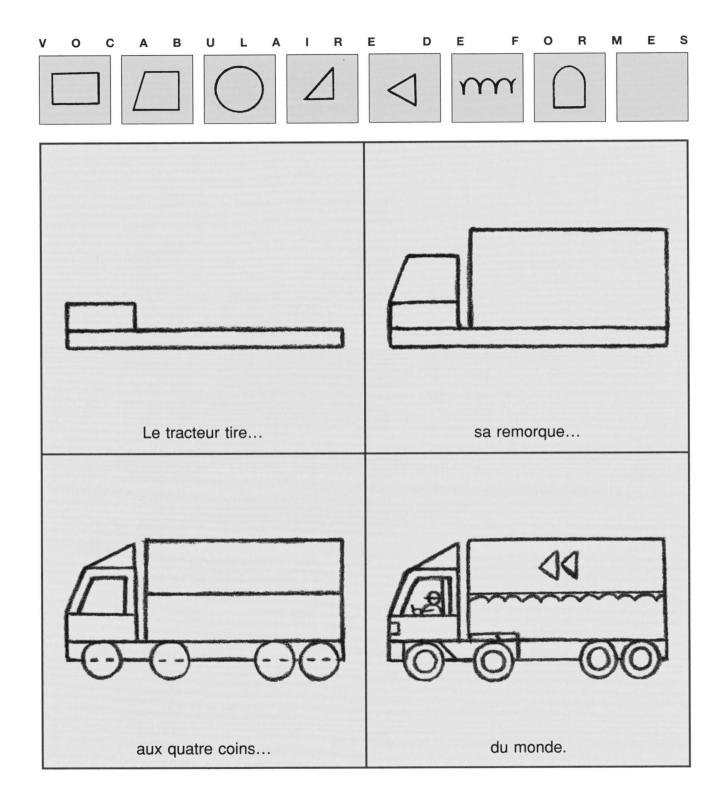

Le tracteur tire…

sa remorque…

aux quatre coins…

du monde.

Le semi-remorque

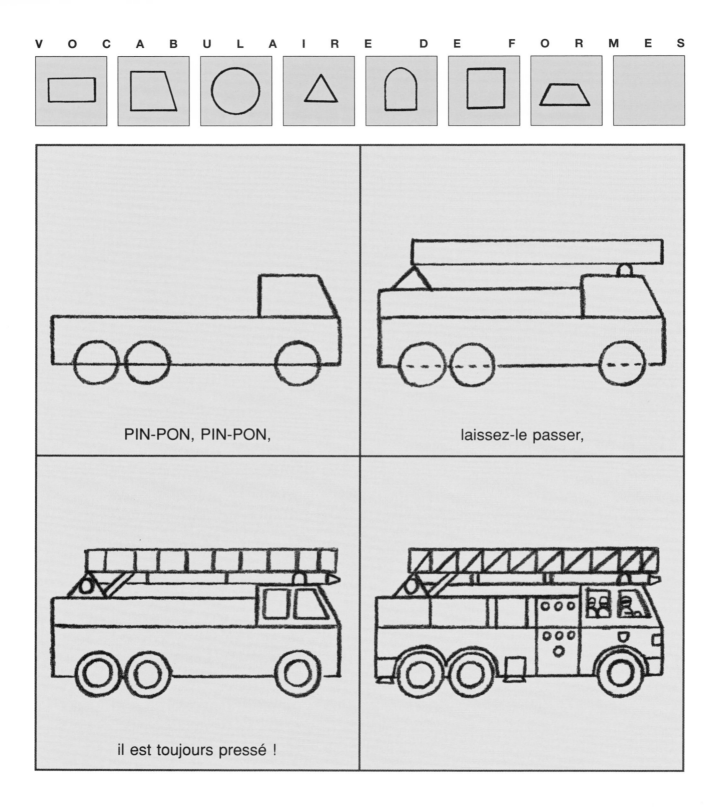

PIN-PON, PIN-PON,

laissez-le passer,

il est toujours pressé !

Le camion de pompiers

Quel drôle de truck que cet engin !

Cela veut dire camion en anglais.

Le truck américain

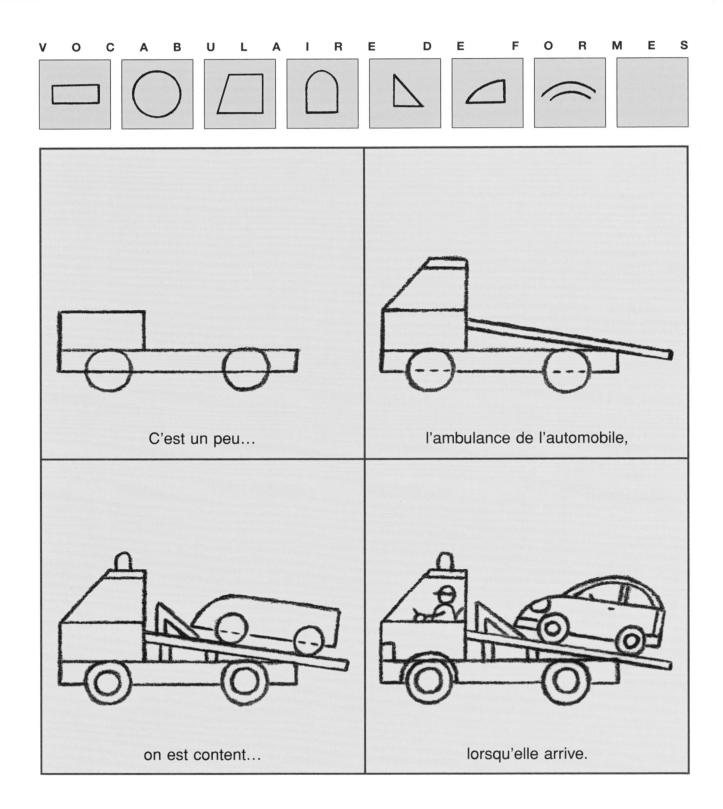

C'est un peu…

l'ambulance de l'automobile,

on est content…

lorsqu'elle arrive.

La dépanneuse

Son réservoir tourne comme une toupie…

pour fabriquer le béton.

La bétonnière

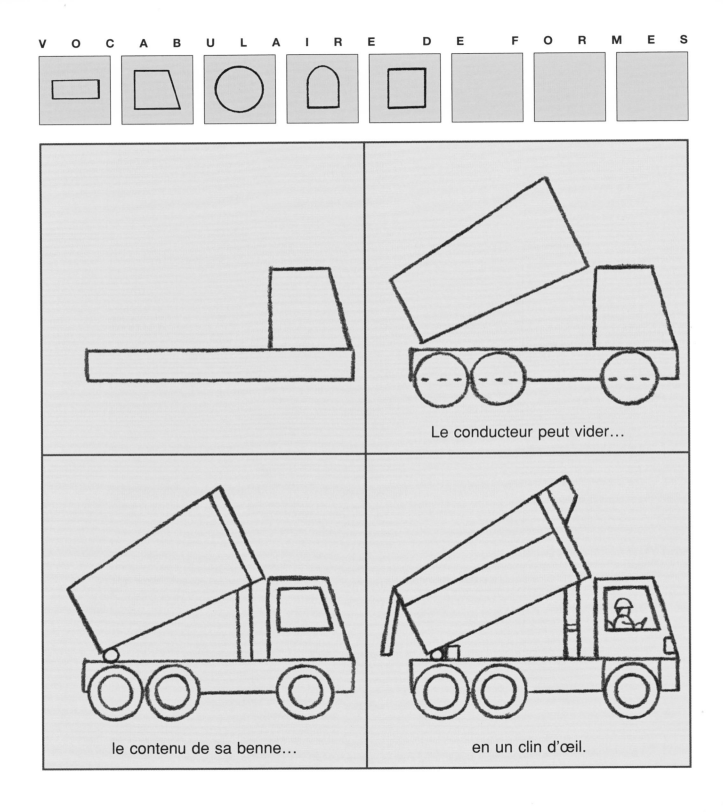

Le conducteur peut vider…

le contenu de sa benne…

en un clin d'œil.

Le camion-benne

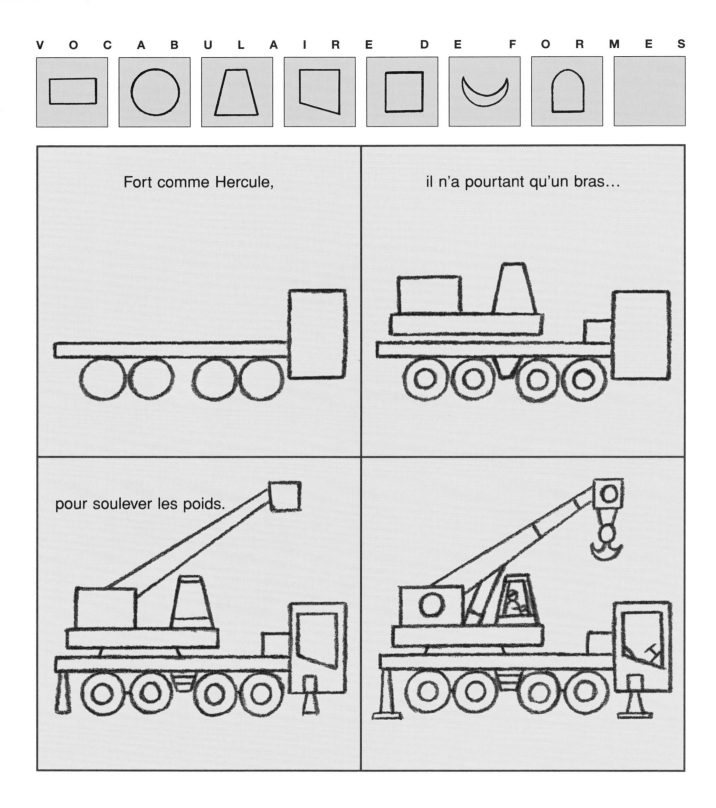

VOCABULAIRE DE FORMES

Fort comme Hercule,

il n'a pourtant qu'un bras...

pour soulever les poids.

Le camion-grue

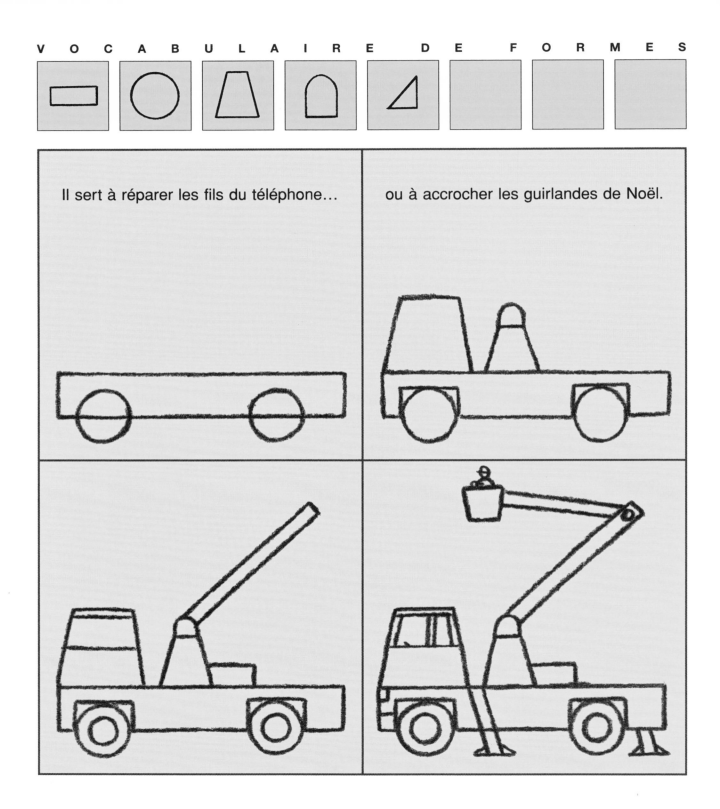

Il sert à réparer les fils du téléphone...

ou à accrocher les guirlandes de Noël.

Le camion-nacelle

Les camions roulent de ponts en autoroutes ou s'activent dans le chantier.

Prends tes crayons et imagine un nouveau décor pour les faire circuler.

Collection J'apprends à dessiner

Loi n°49-956 du 16 juillet 1949 sur les publications destinées à la jeunesse.

Direction éditoriale : Christophe Savouré
Direction artistique : Danielle Capellazzi
Édition : Valérie Monnet
Conception Graphique : Isabelle Bochot
3e édition, n° 92359

© Groupe Fleurus, Paris, avril 2002
Dépôt légal : avril 2002
ISBN 2-215-07419-1
ISSN 1257-9629
Gravure : Quat'coul à Toulouse

Imprimé en novembre 2003 par *Partenaires-Livres*® / cl, France